O Natal
do Marek e da Alice

Marek and Alice's Christmas

Jolanta Starek-Corile
Illustrated by Priscilla Lamont

Portuguese translation by Maria Teresa Dangerfield

– Despacha-te, Alice – chamou o Marek.
– Espera só um bocadinho, estou a embrulhar o teu presente! – respondeu a Alice muito alto.
– Posso vê-lo? – perguntou o Marek, cheio de esperança de que fosse uma moto quatro.
– Nem penses nisso, só depois do jantar – respondeu a Alice.
– Está bem, está bem, mas despacha-te! – Eu vou lá para fora brincar – disse o Marek.

"Hurry up Alice!" called Marek.
"Just a minute, I'm wrapping your present!" Alice shouted back.
"Can I see?" asked Marek, hoping it was a quad bike.
"Don't be silly, not until after supper," replied Alice.
"Ok, ok, but hurry up! I'm going out to play," said Marek.

Quando a Alice saiu de casa, o Marek atirou-lhe com bolas de neve. E o cão, o Borys, tentou apanhá-las.
– Pensava que me vinham ajudar – disse o avô. – Peguem na outra ponta e vamos levar esta árvore para dentro de casa.
– Tem a certeza de que esta árvore chega para pôr todos os nossos presentes? – perguntou o Marek.

When Alice came out, Marek threw snowballs at her. And Borys tried to catch them. "I thought you were coming to help me," said dziadek. "Grab the other end and let's get this tree inside."
"Are you sure the tree is big enough for all our presents?" asked Marek.

– Eu acho que esta árvore é mesmo boa – respondeu o avô.

"I think the tree is just right," replied dziadek.

Quando a árvore já estava bem instalada dentro de casa, o seu aroma fresco de pinheiro espalhou-se pela sala. A Mamã e o Papá trouxeram as decorações de Natal e a Alice desembrulhou os anjinhos e as correntes de papel que tinham trazido de Inglaterra.

Once the tree was safely inside, its fresh pine smell filled the room. Mum and Dad came with the Christmas decorations, and Alice unpacked the little angels and paper chains they'd brought from England.

Entretanto, o Marek pegou nos chocolates e pendurou-os todos no mesmo sítio.
– Não podes fazer isso, é uma parvoíce – disse a Alice.
– Posso fazer o que eu quiser c, além disso, não consigo chegar mais alto – disse
o Marek. – Sabes o que é que o Natal polaco tem de tão fixe? Não temos que
esperar até ao dia de Natal para abrirmos os nossos presentes! E sorriu radiante.

Meanwhile Marek took the chocolates and hung them all in one place.
"You can't do that, it looks stupid," said Alice.
"I can do what I like, and anyway I can't reach any higher," said Marek. "You know
what's so cool about Polish Christmas – we don't have to wait till Christmas Day to
open our presents!" And he beamed with joy.

Just then the doorbell rang. It was Uncle Waldek with fresh carp for the supper.
Babcia was overjoyed. A visit from a man on Christmas Eve meant good luck.
"Are the fish still alive?" asked Marek. "I'm ready for fish and chips!"
"But you've just had breakfast," said Alice. "And you know that we have to fast
till supper."
But Marek wasn't listening. He was too busy playing with the fish.

Nesse preciso momento tocou a campainha. Era o tio Waldeck com carpa fresca para o jantar. A avó ficou muito feliz. A visita de um homem na noite de Natal trazia boa sorte.

– Os peixes ainda estão vivos? – perguntou o Marek. – Estou pronto para comer peixe com batatas fritas!

– Mas acabaste de tomar o pequeno-almoço – disse a Alice. – E sabes que temos que estar sem comer até à ceia.

Mas o Marek estava a fazer ouvidos de mercador. Estava muito ocupado a brincar com os peixes.

– Quem me dera poder brincar contigo – disse a avó – mas ainda tenho muita comida para fazer e preciso de ajuda.

"I wish I could play with you, but there's lots of cooking to do, and I need some helpers," said babcia.

– Eu ajudo-a, avó – disse a Alice pondo um avental e
pegando numa colher de pau para mexer a mistura de
sementes de papoila. – Marek, não vais ajudar? – chamou ela.
– Eu não gosto de cozinhar, gosto é de comer – respondeu o Marek.

"I'll help," said Alice putting on an apron and taking the wooden spoon to stir the
poppy seed mixture. "Marek, aren't you going to help?" she called.
"I don't like cooking, I like eating!" replied Marek.

A campainha tocou outra vez. Era a bisavó com um molho de palha.

The doorbell rang again. It was prababcia with a bundle of hay.

– Porque é que trouxe a palha? – perguntou o Marek. – Os animais vêm jantar connosco?

A bisavó desatou a rir. – Pomos a palha? debaixo da mesa para nos lembrarmos de que Jesus nasceu numa manjedoura, numa palhinhas – disse ela abraçando o Marek.

"Why have you brought hay?" asked Marek. "Are the animals coming to eat with us?" Prababcia laughed. "We put the hay under the table to remind us that Jesus was born in a stable, on a bed of hay," she said, giving Marek a hug.

– Puxa, vejam só tanta comida! – Acham que a mesa
se vai partir? – perguntou o Marek.
– Não te preocupes, é uma mesa muito forte – respondeu a avó.
– Porque é que está um prato a mais na mesa? – perguntou a Alice,
pensando que a avó não tinha contado bem.
A avó sorriu. – Pomos sempre um prato e uma cadeira a mais. É para receber
alguém que não tenha para onde ir na noite de Natal! – disse ela.

"Wow, look at all that food! Do you think the table will break?" asked Marek.
"Don't worry, that's a very strong table," answered babcia.
"Why is there an extra plate?" asked Alice, thinking babcia hadn't counted right.
Babcia smiled. "We always put an extra plate and chair. It is to welcome anyone who
has nowhere to go on Christmas Eve!" she said.

Ao fim da tarde chegou o resto da família. Todos desejaram "Feliz Natal!" uns aos outros e saudaram-se com beijos e abraços.

In the early evening the rest of the family arrived.
"Happy Christmas!" Everyone greeted each other with a hug and a kiss.

– Já descobriram a primeira estrela da noite? – perguntou o Olek.

– Ainda não. Ainda estamos a tentar descobri-la – respondeu o Marek.

– Mas PORQUE é que estamos a tentar descobri-la?

– Bom, é como se fosse a estrela de Belém. Para nós é um sinal para começarmos a nossa ceia – disse a Alice.

– Estou a vê-la!! – gritou de repente o Olek e todos olharam para a primeira estrela brilhante da noite.

"Have you spotted the first star?" asked Olek.

'Not yet, we're still looking," answered Marek. "But WHY are we looking for it?"

'Well, it's like the star of Bethlehem. It's the sign for us to start our supper," said Alice.

'I see it!!" Olek suddenly shouted and they all looked out at the first bright star.

Agora já se podia começar a ceia. A avó trouxe o pão benzido para todos partilharem, ao mesmo tempo que desejavam coisas boas uns aos outros.

Now it was time for supper. Babcia brought in the blessed bread for everyone to share, while offering wishes.

– Eu desejava poder ter uma moto quatro – disse o Marek à mãe.
– Não se deve dizer coisas dessas – disse a mãe, zangada.
– Deseja-se coisas boas a outra pessoa e, de qualquer maneira,
não estamos numa loja de brinquedos.
– Eu não estava a pensar em brinquedos – respondeu o Marek. – Se Deus
é tão grandioso, porque é que não me pode trazer uma moto quatro?
– Porque não é assim que funciona! – disse a Mamã.

"I wish I could have a quad bike," said Marek to his mum.
"You are not supposed to say things like that," said Mum
crossly. "You offer wishes to another person, and anyway
we are not in a toy shop."
"I wasn't thinking of toys," replied Marek. "If God
is so great, why can't He bring me a quad bike?"
"Because it doesn't work like that!" said Mum.

Então a avó e o avô recitaram uma oração e todos se sentaram para comer.

Then babcia and dziadek said a prayer and everyone sat down to eat.

– Agora não se esqueçam de provar um pouco de tudo – disse a avó. – Quantos mais pratos provarem, mais próspera e abundante será a vossa vida.
– O que é que isso quer dizer? – perguntou o Marek, confuso.
– Quer dizer que até pode ser que recebas a tua moto quatro – respondeu a Alice.

"Now, don't forget to try everything," said babcia.
"The more dishes you try, the more rich and plentiful your life will be."
"What does that mean?" asked Marek, confused.
"It means you might just get your quad bike," answered Alice.

After supper everyone gathered round to sing carols. Alice played *Silent Night* on her recorder while Marek sang in English.
"Why can't he sing in Polish?" asked Olek.
"Because he hasn't learnt it yet," answered Alice quickly.

Depois da ceia juntaram-se todos para cantar canções de Natal. A Alice tocou "Noite Feliz" na sua flauta, ao mesmo tempo que o Marek cantava em inglês.
– Porque é que ele não pode cantar em polaco? – perguntou o Olek.
– Porque ele ainda não aprendeu – respondeu logo a Alice.

– Podemos abrir os nossos presentes antes de irmos à Missa do Galo? – perguntou a Alice.

– Eu quero abri-los agora! – disse o Marek, mas ele não tinha reparado que a avó já tinha dado o primeiro presente à Alice.

– Uau! Era mesmo um vestido assim que eu queria! – disse a Alice. – Muito obrigada, avó! E deu-lhe um abraço.

"Can we open our presents, before we go to Midnight Mass?" asked Alice.

"I want to open them now!" said Marek, but he hadn't seen that babcia had already given the first present to Alice.

"Wow, I've always wanted a dress like this!" said Alice. "Thank you babcia!" And she gave her a hug.

– Recebeste a tua moto quatro? – perguntou o Olek.
– Ainda não – respondeu o Marek – e provei quase todos os pratos...
– E tu, Olek? – perguntou a Alice.
– Oh, eu recebi o meu presente grande no dia de São Nicolau – respondeu ele. –
Hoje só se recebem presentes pequenos.
O Marek nem queria acreditar que tinha ficado a perder. – No próximo ano venho
logo no princípio de Dezembro para passar toda a época do Natal – disse ele.

"Did you get your quad bike?" asked Olek.
"Not yet," answered Marek, "and I tried almost every dish…"
"What about you, Olek?" asked Alice.
"Oh, I got my big present at the beginning of December," he replied. "We get
them on St. Nicolas' day, today it's only small ones."
Marek couldn't believe he'd missed out. "Next year I'm coming at the beginning
of December for the whole of Christmas," he said.

– Venham lá todos, está na hora de irmos à Missa do Galo – disse a avó.
– Não posso ficar em casa com a bisavó? – perguntou a Alice.
– Não queres vir? Vai ser tão fixe ficar acordado até tarde – disse o Marek.

"Come on everyone, it's time to go to Midnight Mass," said babcia.
"Can I stay at home with prababcia?" asked Alice.
"Don't you want to come? It will be so cool to stay up late," said Marek.

– Eu não me vou deitar – respondeu a Alice. – A avó diz que à meia-noite todos os animais podem falar. Por isso esta noite é a única oportunidade que tenho para falar com o Boris.

"I'm not going to bed," said Alice. "Babcia says that at midnight all the animals can talk. So tonight is my only chance to talk to Borys."

À meia-noitc a Alice e o Marek estavam a dormir profundamente.

At midnight Alice and Marek were fast asleep.

The Family

Marek

Alice

Dzadek

Borys

Prababcia

Babcia

Waldek

Olek

record save play

Christmas Cookies

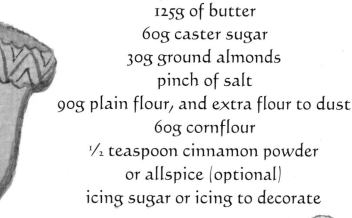

125g of butter
60g caster sugar
30g ground almonds
pinch of salt
90g plain flour, and extra flour to dust
60g cornflour
½ teaspoon cinnamon powder
or allspice (optional)
icing sugar or icing to decorate

1) Beat the butter and sugar in a mixing bowl until fluffy

2) Then add the remaining ingredients and beat until the mixture sticks together and can be formed into a ball.

3) Dust a pastry board with flour and turn out the mixture. Then knead gently for a couple of minutes to form a smooth dough.

4) Next roll out the dough until it is about 5mm thick.

5) Choose some Christmas shaped biscuit cutters and cut into shapes.

6) Using a palette knife transfer the shapes to a greased baking sheet. Bake in a preheated oven (180°C/350°F/gas mark 4) for 15 minutes or until golden.

7) Leave to cool on the tray before lifting off. Decorate the shapes with icing sugar

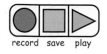

record save play

Advent Calendar

Touch the pictures and baubles to hear songs, information and activities.

record save play